아서 스타터 워크북 09

아서의 숙제

글·그림 마크 브라운

등장인물

브레인

아서의 친구들 중 가장 똑똑한 친구. 특히 수학과 과학을 제일 잘한다.

버스터

아서의 가장 친한 친구. 탐정 놀이와 외계인을 좋아하는 특이한 성격의 소유자.

빙키

거친 외모와 달리 의외로 섬세한 성격을 지닌 아서의 친구.

프랜신

무슨 운동이든 잘하는 아서의 친구. 활달한 성격으로 리더십이 있다.

랫번 선생님

아서의 담임 선생님. 항상 많은 숙제로 아서와 친구들에게 고민을 안겨 준다.

Contents

본 워크북에 담긴 한국어 번역의 페이지는 영어 원서의 페이지와 동일하게 유지했습니다.
영어 원서를 읽다가 이해가 가지 않는 부분이 있다면, 워크북의 같은 페이지를 펼쳐 보세요! 궁금한 부분의 번역을 쉽게 확인할 수 있습니다.

영어 원서를 100 단어 기준으로 총 세 개의 파트로 나누어, 각 파트별로 다양한 액티비티를 담았습니다. 재미있게 영어 원서를 읽고 액티비티를 풀어 나가다 보면 영어 실력도 쑥쑥 향상될 것입니다!

부록으로 제공되는 MP3 CD에는 '듣기 훈련용 오디오북'과 '따라 읽기용 오디오북'의 두 가지 오디오북이 담겨 있습니다.
'듣기 훈련용 오디오북'은 원어민 전문 성우가 녹음한 오디오북으로 재미있는 효과음이 곁들여져 원서의 내용을 실감나게 이해하도록 도울 것입니다.
'따라 읽기용 오디오북'은 초보 학습자들을 위한 오디오북으로 효과음을 제거하고 조금 더 천천히 녹음한 것으로 학습용으로 사용하기에 유용할 것입니다.

Where We Live,
Elwood City
- Our Environment
- Our History
- Our Community
MATH

때애애애앵!

“잊지 마렴.” 랫번 선생님이 외쳤습니다. “도시에 대한 너희들의 과제는 금요일까지란다!”

아서는 조금 걱정스러웠습니다. 그에게는 아직 자신의 과제에 대한 좋은 생각이 없었습니다. “난 곧장 집으로 가서 계획을 세워야겠어.” 그가 결심했습니다.

하지만 브레인이 그의 어깨를 툭툭 두드렸습니다.

“내 과제는 엘우드시 주변의 바람 유형에 대해 연구하는 거야.”

브레인이 말했습니다. “나를 도와줄 수 있니?”

“음, 좋아.” 아서가 말했습니다.

TUCKER
PUT
TRASH
HERE

아서가 알아차리기 전에, 월요일 오후가 지나갔습니다.

다음 날, 아서가 막 학교에서 집으로 왔을 때
전화가 울렸습니다.

"나야." 버스터가 말했습니다. "나는 엘우드시에 대한 영상을 만들고 있어.
네가 내 카메라맨이 되어 줄래?"

"그러지 뭐." 아서가 말했습니다.

아서가 알아차리기 전에, 화요일 오후가 흘러갔습니다.

“오늘이 바로 그날이야.” 수요일에 아서가 말했습니다.
“나는 내 과제에 대한 좋은 생각을 *떠올려야만* 해.”

하지만 학교가 끝난 뒤 빙키가 들렀고 아서에게 자신의 집으로 와 달라고 했습니다.

그는 엘우드시에 대한 역사 포스터를 만드는 데 도움의 손길이 필요했습니다.

손길과—또, 몸까지 말이에요!

“너는 내 생명의 은인이야.” 빙키가 아서에게 말했습니다.

아서가 알아차리기 전에, 수요일 오후도 지나가 버렸습니다.

목요일에, 아서는 심지어 저녁을 먹으러 집에 가지도 못했습니다.

“도와줘!” 프랜신이 그녀의 창밖으로 소리 질렀습니다. “나는 엘우드시의 모형을 만들고 있는데, 그게 계속 허물어지고 있어!”

Westboro
APARTMENTS

아서는 석고 반죽이 든 통을 섞고 또 섞었습니다.

“시간이 늦어지고 있어.” 그가 말했습니다. “그리고 우리는 과제를 내일까지 제출해야 돼.”

“걱정하지 마.” 프랜신이 말했습니다. “우리는 곧 마칠 거야.”

아서가 알아차리기 전에, 목요일 오후가 지났습니다—
그리고 또, 대부분의 목요일 저녁도 말이에요.

마침내, 아서는 집에 왔습니다. 그는 자신만의 과제에 대한 좋은 생각을 떠올리기 위해 앉았습니다.

그는 그렇게 많이 하지는 못했습니다.

다음 날 아침, 모두 도시에 대한 그들의 과제를 교실로 가져왔습니다.
아서를 제외한 모든 아이들이요.
“네 과제는 어디에 있니, 아서?” 랫번 선생님이 물었습니다.
아서는 뭐라고 대답해야 할지 몰랐습니다.

APRIL
Due Today
Your Town
Project

APRIL
TUCKER
TOWN HALL
SCHOOL
SUGAR BOWL
BANK
ELWOOD CITY

"잠깐만요, 랫번 선생님." 브레인이 말했습니다. "아서는 제 과제를 같이 했어요. 그는 제 파트너였어요."

"또한, 제 파트너이기도 했어요." 버스터가 말했습니다.

"그리고 제 파트너였지요." 빙키가 말했습니다.

"저도 빼놓지 마세요." 프랜신이 말했습니다.

“와, 아서!” 랫번 선생님이 말했습니다. “내가 보기에 너는 매우 바빴겠구나—
단지 과제 하나가 아니라, 네 개를 하느라 말이야!”

APRIL
Due Today:
Your Town
Project

“그리고 또, 네 명의 멋진 친구들과 함께 있느라 말이죠!” 아서가 말했습니다.

Activities

영어 원서를 총 세 개의 파트로 나누어,
각 파트별로 다양한 액티비티를 담았습니다.

각 파트의 영어 원서 페이지는 롱테일북스에서 출간된
'롱테일 에디션'을 기준으로 합니다!

Vocabulary Part 1

잊다

forget

(소)도시, 마을

town

과제, 연구

project

금요일

Friday

발상, 생각

idea

계획; 계획하다

plan

결심하다, 결정하다

decide

가볍게 두드리다 (과거형 tapped)

tap

어깨

shoulder

연구하다, 공부하다

study

바람

wind

양식, 무늬

pattern

~하기 전에

before

오후

afternoon

학교

school

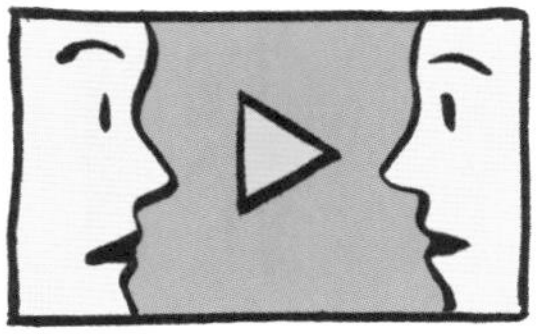

영상, 비디오

video

카메라맨, 촬영 기사

cameraman

화요일

Tuesday

Word Review Part 1

A 알파벳을 바르게 배열하여 그림에 맞게 단어를 완성해 보세요.

1

p t a

t

2

w t n o

3

e d a i

B 알파벳을 바르게 써넣어 그림에 알맞은 단어를 완성해 보세요.

1

f o r g   t

2

T u   d   y

3

f o   e

C 그림을 보고 알맞은 단어를 퍼즐에서 찾은 뒤, 빈칸에 단어를 써 보세요.

g	y	f	r	i	d	a	y
l	v	c	z	m	e	c	n
w	i	n	d	k	l	b	o
g	d	l	h	r	q	i	p
a	e	v	w	d	s	c	l
n	o	k	t	j	e	x	a
r	p	m	a	c	i	k	n
s	t	u	d	y	e	d	s

1

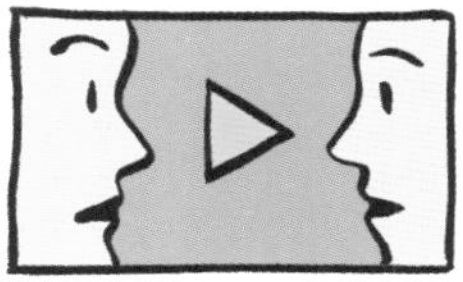

video

2

3

4

5

Wrap Up! Part 1

A 이야기의 순서에 맞게 번호를 적어 보세요.

Arthur was worried about his project.

Buster asked Arthur to be his cameraman.

The Brain studied wind patterns for his project.

1

The Town Project was due Friday.

B 각 단어에 알맞은 그림을 찾고, 이를 설명하는 문장을 찾아 바르게 이어 보세요.

call

project

tap

video

The Brain tapped Arthur on the shoulder.

Mr. Ratburn called to his students.

Arthur helped Buster make a video.

The students got a Town Project.

C 다음 그림을 보고 아래의 단어를 알맞게 넣어 문장을 완성해 보세요.

patterns decided idea

1 Arthur was worried that he didn't have an ______________ .

2 Arthur ______________ to go right home and make a plan.

3 The Brain asked Arthur to help him study wind ______________ .

D 책의 내용과 일치하면 TRUE에, 그렇지 않으면 FALSE에 동그라미를 그려 보세요.

1. The Town Projects were due Tuesday. TRUE FALSE
2. Arthur helped the Brain on Monday afternoon. TRUE FALSE
3. On Tuesday, Arthur got a phone call from Buster. TRUE FALSE
4. Buster made a video about a cameraman. TRUE FALSE

E 다음 질문에 대한 알맞은 답을 골라 보세요.

What was the Brain's Town Project?

a. Drawing a poster of Elwood City
b. Making a video about Elwood City
c. Studying wind patterns around Elwood City

Let's Write! Part 1

A 우리말에 맞게 알맞은 짝을 찾아 바르게 연결하고 완성된 문장을 두 번씩 써 보세요.

1 Your Town Projects	about Elwood City.
2 I'll go right home	are due Friday!
3 Could you	and make a plan.
4 I'm making a video	help me out?

1 도시에 대한 너희들의 과제는 금요일까지란다!

Your Town Projects are due Friday!

2 난 곧장 집으로 가서 계획을 세워야겠어.

3 나를 도와줄 수 있니?

4 나는 엘우드시에 대한 영상을 만들고 있어.

Vocabulary Part 2

잠시 들르다

stop by

도움의 손길, 손: 건네주다

hand

포스터

poster

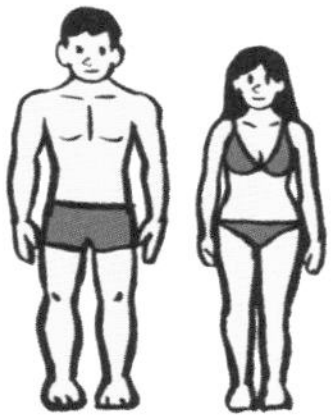

몸, 신체

body

생명, 삶

life

구조자

saver

목요일

Thursday

(어떤 곳에) 시간 맞춰 가다

make it

집, 가정

home

저녁 식사

dinner

창문

window

모형

model

허물어지다, 무너지다

fall apart

섞다

mix up

양동이

pail

석고 반죽

plaster

내일

tomorrow

저녁

evening

Word Review Part 2

A 알파벳을 이어서 알맞은 그림과 연결하고, 빈칸에 완성된 단어를 써 보세요.

s a v e l f e m d e o h e r i n l a d

saver

B 그림을 보고 같은 색깔의 알파벳을 바르게 배열하여 빈칸에 써 보세요.

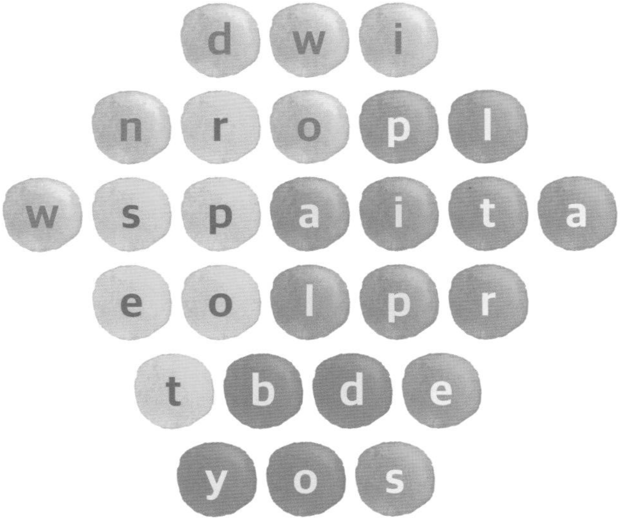

1

poster

2

3

4

5

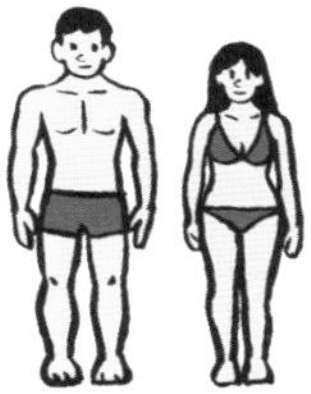

Wrap Up! Part 2

A 이야기의 순서에 맞게 번호를 적어 보세요.

Arthur tried to think of an idea on Wednesday.

Francine yelled out her window.

Arthur helped Francine make a model of Elwood City.

Binky needed a hand with his poster.

B 두 개의 문장 중 오른쪽에 있는 그림을 바르게 설명하는 문장을 골라 보세요.

1

ⓐ Binky asked Arthur to come to his house.

ⓑ Binky asked Arthur to take a picture of him.

2

ⓐ Arthur was a model for Binky's poster.

ⓑ Arthur thought of an idea for Binky's project.

3

ⓐ Arthur could not go home and have dinner.

ⓑ Arthur decided to make his own model.

4

ⓐ Francine's model was made of wood.

ⓑ Francine's model was made of plaster.

C 다음 그림을 보고 아래의 단어를 알맞게 넣어 문장을 완성해 보세요.

Thursday model plaster

1 Francine was making a ______________ of Elwood City.

2 Arthur kept mixing up pails of ______________.

3 Arthur helped Francine on ______________.

D 책의 내용과 일치하면 TRUE에, 그렇지 않으면 FALSE에 동그라미를 그려 보세요.

1. Binky asked Arthur to come to school. TRUE FALSE
2. Francine's plaster model kept falling apart. TRUE FALSE
3. Arthur didn't worry about his project. TRUE FALSE
4. Thursday afternoon was gone and still Arthur had no idea. TRUE FALSE

E 다음 질문에 대한 알맞은 답을 골라 보세요.

What did Arthur try to do on Wednesday?

a. Have dinner with Francine

b. Think of an idea for his project

c. Help his friends with their projects

Let's Write! Part 2

A 오늘 공부한 문장을 따라 써 보세요.

1 나는 좋은 생각을 떠올려야만 해.

I have to think of an idea.

2 너는 내 생명의 은인이야.

You're a life saver.

3 아서는 심지어 집에 가지도 못했습니다.

Arthur didn't even make it home.

4 나는 엘우드시의 모형을 만들고 있어.

I'm making a model of Elwood City.

5 우리는 곧 마칠 거야.

We'll be done soon.

6 목요일 오후가 지났습니다.

Thursday afternoon was gone.

Vocabulary Part 3

마침내

finally

앉다 (과거형 sat)

sit

생각하다

think

많이, 먼, 멀리

far

그다음의; 그다음으로

next

아침

morning

모든 사람, 모두

everyone

가져오다, 데려오다
(과거형 brought)

bring

교실, 반

class

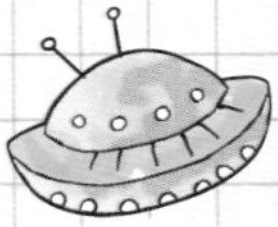

어디에

where

무엇, 무슨

what

잠시만요, 실례합니다

excuse me

일하다, 작동하다; 일

work

파트너, 동료

partner

나의 것

mine

바쁜

busy

정말 좋은, 기쁜

great

친구

friend

Word Review Part 3

A 그림을 보고 알파벳 속에서 맞는 단어를 찾아 빈칸에 써 보세요.

oramorningbfavghfarcbfriendiyrteveryonenheeminejbclassbktfhl

1

morning

2

3

4

5

6

B 그림을 보고 알맞은 단어를 퍼즐에 넣어 완성한 뒤, 빈칸에 단어를 써 보세요.

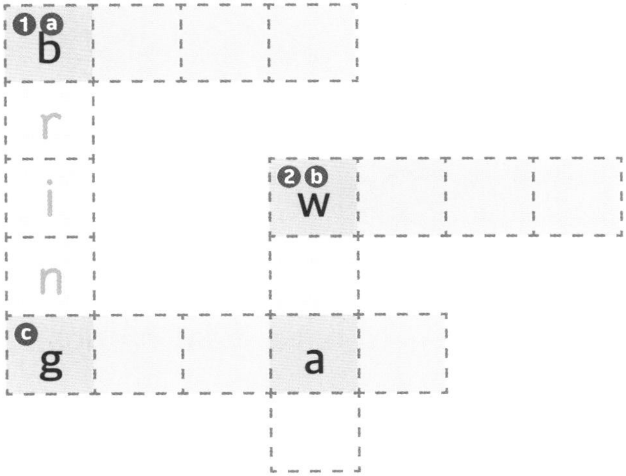

1

bring

2

a

b

c

Wrap Up! Part 3

A 이야기의 순서에 맞게 번호를 적어 보세요.

Arthur got home
after he helped Francine.

Arthur was happy
to have great friends.

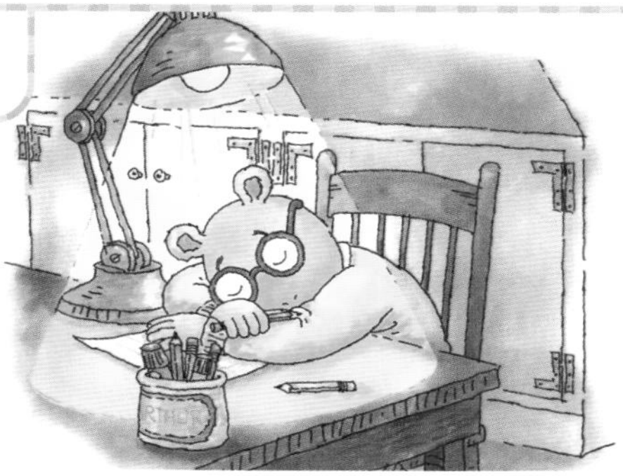

Arthur didn't do much work.

Mr. Ratburn asked
about Arthur's project.

B 그림의 각 부분을 올바르게 설명하는 문장을 찾아 빈칸에 맞는 기호를 넣어 보세요.

ⓐ Francine brought her Town Project to class.

ⓑ Arthur worked on the Brain's project.

ⓒ Arthur helped Buster as his partner.

ⓓ Mr. Ratburn found out that Arthur had been very busy.

C 다음 그림을 보고 아래의 단어를 알맞게 넣어 문장을 완성해 보세요.

far finally own

1. Arthur ________ got home after he helped all his friends.

2. Arthur sat down to work on his ________ project.

3. Arthur didn't get ________ on thinking of an idea.

D 책의 내용과 일치하면 TRUE에, 그렇지 않으면 FALSE에 동그라미를 그려 보세요.

1 On Friday, everyone brought their Town Projects to class. TRUE FALSE

2 Arthur had finally done his own project. TRUE FALSE

3 Arthur was also Binky's partner. TRUE FALSE

4 Francine forgot to say that Arthur was her partner. TRUE FALSE

E 다음 질문에 대한 알맞은 답을 골라 보세요.

Why was Mr. Ratburn surprised at the end?

a Arthur didn't come to class.

b Arthur brought a pail of plaster to class.

c Arthur was busy working on four projects.

Let's Write! Part 3

A 우리말에 맞게 네모 안에 있는 말을 바르게 배열해 보세요.

1 마침내, 아서는 집에 왔습니다.

Arthur 아서는	Finally, 마침내	home 집에	got 왔다

Finally, Arthur ______________________.

2 그는 그렇게 많이 하지는 못했습니다.

very far 그렇게 많이	didn't get 하지 못했다	He 그는

______________________.

3 모두 도시에 대한 그들의 과제를 가져왔습니다.

their Town Projects 도시에 대한 그들의 과제를	brought 가져왔다	Everyone 모두가

______________________.

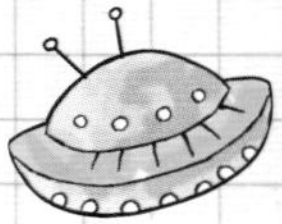

4 아서는 뭐라고 대답해야 할지 몰랐습니다.

what to say	didn't know	Arthur
뭐라고 대답해야 할지	몰랐다	아서는

.

5 아서는 제 과제를 같이 했어요.

Arthur	on my project	worked
아서는	제 과제를	했다

.

6 저도 빼놓지 마세요.

forget	Don't	me
빼놓다	~하지 마라	나를

.

Answers

Part 1

Word Review

A

1. 
pta
tap

2. 
wtno
town

3. 
edai
idea

B

1. 

forget

2. 

Tuesday

3. 
before

C

g	y	f	r	i	d	a	y
l	v	c	z	m	e	c	n
w	i	n	d	k	l	b	o
g	d	l	h	r	q	i	p
a	e	v	w	d	s	c	l
n	o	k	t	j	e	x	a
r	p	m	a	c	i	k	n
s	t	u	d	y	e	d	s

1. 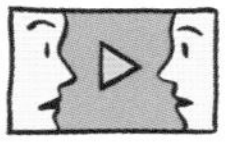
video

2. 
plan

3. 
wind

4. 

Friday

5. 
study

Wrap Up!

A

2
Arthur was worried about his project.

4
Buster asked Arthur to be his cameraman.

3
The Brain studied wind patterns for his project.

1
The Town Project was due Friday.

B

call
project
tap
video

The Brain tapped Arthur on the shoulder.
Mr. Ratburn called to his students.
Arthur helped Buster make a video.
The students got a Town Project.

C

1. Arthur was worried that he didn't have an **idea** .
2. Arthur **decided** to go right home and make a plan.
3. The Brain asked Arthur to help him study wind **patterns** .

D 1 FALSE 2 TRUE 3 TRUE 4 FALSE

E c

Let's Write!

A

1 Your Town Projects	are due Friday!
2 I'll go right home	and make a plan.
3 Could you	help me out?
4 I'm making a video	about Elwood City.

Part 2
Word Review

A

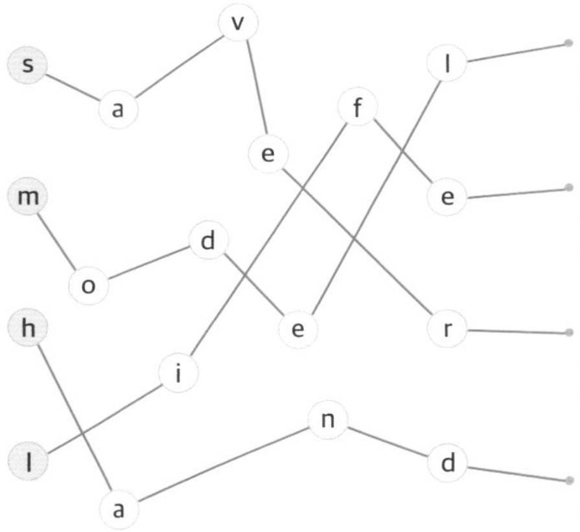

model

life

saver

hand

B

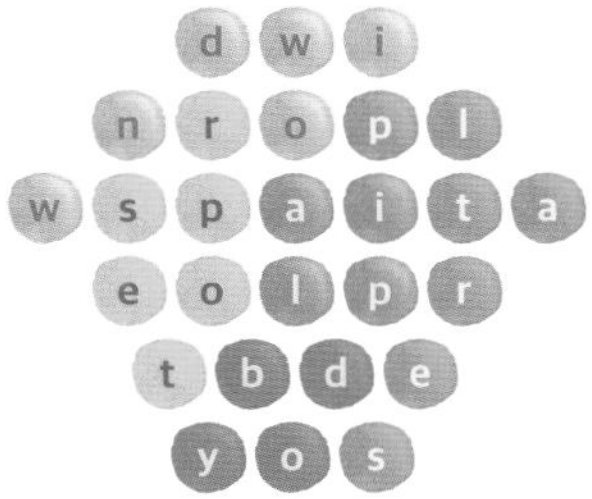

1 
poster

2 
plaster

3 
pail

4 
window

5 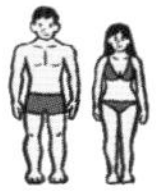
body

Wrap Up!

A

1

Arthur tried to think of an idea on Wednesday.

3

Francine yelled out her window.

4

Arthur helped Francine make a model of Elwood City.

2

Binky needed a hand with his poster.

B 1 a 2 a 3 a 4 b

C

1 Francine was making a model of Elwood City.

2 Arthur kept mixing up pails of plaster.

3 Arthur helped Francine on Thursday.

D 1 FALSE 2 TRUE 3 FALSE 4 TRUE

E b

Part 3

Word Review

A

oramorningbfavghfarcbfriendiyrteveryonenheeminejbclassbktfhl

1 
morning

2 
far

3 
class

4 
everyone

5 
mine

6 
friend

B

1a b	u	s	y			
r						
i			2b w	o	r	k
n			h			
c g	r	e	a	t		
			t			

1 
bring

2 
what

a 
busy

b 
work

c 
great

Wrap Up!

A

1

Arthur got home after he helped Francine.

4

Arthur was happy to have great friends.

2

Arthur didn't do much work.

3

Mr. Ratburn asked about Arthur's project.

B

C

1. Arthur **finally** got home after he helped all his friends.
2. Arthur sat down to work on his **own** project.
3. Arthur didn't get **far** on thinking of an idea.

D 1 TRUE 2 FALSE 3 TRUE 4 FALSE

E c

Let's Write!

A

1. Finally, Arthur got home.
2. He didn't get very far.
3. Everyone brought their Town Projects.
4. Arthur didn't know what to say.
5. Arthur worked on my project.
6. Don't forget me.

More Arthur Stories to Read!

01 Arthur and the Big Snow
02 Arthur and the Dog Show
03 Arthur Helps Out
04 Arthur Jumps into Fall
05 Arthur Tells a Story
06 Arthur to the Rescue
07 Arthur's Birthday Surprise
08 Arthur's Heart Mix-Up
09 Arthur's Homework
10 Arthur's Jelly Beans
11 Arthur's Mystery Babysitter
12 Arthur's Off to School
13 Arthur's Tree House

재미있는 내용을 쉬운 문장과 간결한 표현으로 풀어 낸 기초 원서,
『아서 스타터(Arthur Starter)』 시리즈

아이들의 눈높이에 맞춘 유쾌한 이야기!
실생활에 바로 적용할 수 있는 영어 표현!

ARTHUR'S HOMEWORK

아서의 숙제

초판 발행 2022년 1월 3일

글·그림 마크 브라운
번역및콘텐츠감수 유아름 정소이
콘텐츠제작참여 기나현 선생님(경기 고양 일산중) 김수정 선생님(경기 부천 계남초)
이재영 선생님(서울 영등포 영림초) 임소연 선생님(경기 동두천 생연초)
영문감수 Julie Tofflemire
책임편집 유아름 정소이 김보경
디자인 모희정 이강효
저작권 김보경
마케팅 김보미 정경훈

기획 김승규
펴낸이 이수영
펴낸곳 롱테일북스
출판등록 제2015-000191호
주소 04033 서울특별시 마포구 양화로 113(서교동) 3층
전자메일 helper@longtailbooks.co.kr

ISBN 979-11-91343-33-5 14740